D1043305

Ce livre appartient à
....
offert par :
....
reçu le :
....

RETROUVEZ Les Frousses de Zoé DANS LA BIBLIOTHÈQUE ROSE

L'abominable petite fille des neiges

Mon papy s'appelle Barbe-Bleue

Les ogres du centre commercial

Le métro de l'horreur

Zoé contre Zoé

Le dentiste est un vampire

La sorcière est dans l'école

L'île du docteur Morora

Pas de pizza pour les mutants

Gudule

Les frousses de Zoé

Les ogres du centre commercial

Illustrations de Jean-François Dumont

Hachette Livre, 43, quai de Grenelle, 75015 Paris.

Chapitre 1

Des salsifis pour le p'tit pot-au-feu

La voix de maman, montant du rez-de-chaussée, me réveille en sursaut :

« Tu viens faire les courses avec moi, Zoé ?

— Hein ? Je... Quoi ? »

Encore tout engourdie, je me frotte les yeux en bâillant. Ma parole, je me suis endormie en plein après-midi ! Ça, c'est un coup des salsifis au beurre !

J'adore les salsifis au beurre, mais je suis bien la seule, à la maison. Mon frère Rémi les déteste, il dit que c'est de la nourriture pour lapins. Papa, lui, ne les supporte que sous une tonne de béchamel. Et mon chien Hot-dog refuse sa pâtée quand on en met dedans. Il n'y a que maman qui les aime, mais comme elle a peur de grossir, ça ne compte pas. Elle se sert de si petites quantités qu'il faut une loupe pour les apercevoir au fond de l'assiette !

Donc, ce midi, j'ai mangé presque toute la casserole. Résultat : après, j'avais un ventre comme un tonneau. Dans ce cas-là, pour digérer, une bonne sieste s'impose toujours !

« Alors, Zoé, tu te décides ? » s'impatiente maman.

Par la fenêtre de ma chambre, un rayon de soleil glisse jusqu'à mon lit, caresse mon visage et me chatouille le nez.

« Oui, m'man, j'arrive ! »

L'instant d'après, je dégringole l'escalier quatre à quatre.

Nous sommes samedi, c'est le jour du supermarché. Maman a déjà son manteau sur le dos et la main sur la poignée de la porte.

« Dépêche-toi, me houspille-t-elle, il est presque trois heures et je voudrais passer aux caisses avant l'affluence.

— Je pourrai pousser le Caddie ?

— D'accord, si tu me promets de ne pas traîner. »

Elle est du genre stressée, maman. Dans les magasins, elle ne marche pas, elle court. C'est pour

ça que papa ne veut plus l'accompagner. Il dit qu'elle le fatigue, et qu'après avoir travaillé toute la semaine comme un forçat (c'est le mot qu'il emploie), il a quand même droit à un jour de repos. Maman répond qu'elle aussi, elle aimerait « se la couler douce » (c'est son expression), mais qu'elle n'a pas le choix : le frigo ne va pas se remplir tout seul. Et elle ajoute que d'ailleurs, le frigo, c'est lui qui le vide, avec son appétit d'ogre. Du coup, papa se vexe et décrète que, dorénavant, il prendra tous ses repas au restaurant.

Rémi et moi, on se marre. Si on se chamaillait comme eux pour des queues de cerises, qu'est-ce qu'on prendrait !

Je m'appelle Zoé, mais on me surnomme Zoé-la-Trouille, sous prétexte que j'ai peur de tout. Ce n'est pas vrai, je suis juste « d'une nature impressionnable », comme dit la maîtresse. Normal, le monde est plein de mystères terrifiants. Vous n'imaginez jamais, vous, qu'il y a un fantôme sous votre lit, un monstre dans le placard, ou des pieuvres au fond de la baignoire ?

Moi, si. Heureusement que Hotdog est là pour me rassurer !

Mon chien, on dirait une saucisse ambulante. Mais c'est le meilleur remède anti-trouille que je connaisse : un coup de langue sur le visage et zou ! les frayeurs s'envolent.

À part ça, j'ai dix ans, des cheveux couleur carottes-râpées, des yeux vert persil, et même — enfin, mon frère le prétend ! — un nez en forme de patate et un teint de navet. Bref, je suis une vraie jardinière de légumes à moi toute seule !

« À tout à l'heure, mon p'tit pot-au-feu ! me crie papa, au moment où je sors.

— À propos, Zoé..., sursaute maman. Pense à me rappeler que je dois acheter des poireaux, j'ai oublié de le noter sur ma liste.

— Oui, m'man ! »

J'envoie un clin d'œil à papa. J'adore quand il m'appelle son p'tit pot-au-feu. Et en plus, si on a de la soupe ce soir, ce sera grâce à lui !

Chapitre 2

En prison, l'orphelin !

Je ne sais pas si vous êtes comme moi, mais les centres commerciaux me font un drôle d'effet. Ce sont des univers étranges, un peu inquiétants. Les gens vont et viennent sans s'occuper les uns des autres, uniquement intéressés par les vitrines. On a presque l'impression que ce sont des robots programmés pour entrer dans les boutiques, poser des sous sur le comptoir et repartir avec des paquets.

Bien sûr, ces idées-là, je les garde pour moi. Si j'en parlais à maman, elle me traiterait de folle. Alors, je me contente de me cramponner à sa main, parce que, quand même, j'ai un tout petit peu peur. Et je regarde, sans un mot, fonctionner le ballet mécanique. Pas la moindre fausse note ! Jamais deux Caddie ne se télescopent, les messieurs s'arrêtent pile devant les magasins de bricolage, les dames devant les étalages de vêtements. Quant aux enfants, ils s'émerveillent devant les jouets, les glaces et les bocaux de bonbons des confiseurs.

Pour parvenir au supermarché, il faut traverser la galerie marchande puis, arrivé au bout, prendre l'escalator. Là, je m'arrête toujours. Parce qu'au pied de l'escalator, il y a l'animalerie.

Les magasins d'animaux, ça me rend contente et triste à la fois. Contente parce que je raffole des bêtes, et triste parce que celles-là sont dans des cages.

En général, maman me permet d'y rester pendant qu'elle va acheter des fruits, en face. Elle passe me rechercher dix minutes plus tard, le temps que je rende visite aux pauvres prisonniers...

Ce sont surtout les chiots qui m'intéressent. Quand je m'approche, ils penchent la tête de côté pour me réclamer des caresses. Il paraît que les bébés ont besoin de câlins pour grandir harmonieusement, et pas seulement les bébés humains, les autres aussi. C'est la maîtresse qui l'a dit. Et elle a même ajouté que « l'amour est aussi indispensable au développement des êtres vivants que la nourriture ». Moi, ça m'arrange de nourrir les êtres vivants avec de l'amour, parce que j'en suis remplie à ras bord. Tandis que le Ronron, le Canigou ou le lait en poudre, j'ai pas le premier sou pour en acheter.

Les toutous m'accueillent avec des jappements de bienvenue. Aujourd'hui, il y en a trois. Un caniche tondu, avec des frisettes au sommet de la tête et un pompon au bout de la queue, un mini-bouledogue à la truffe boudeuse, tout pataud sur ses pattes difformes, et... et... ça alors !

Le troisième chien n'en est pas un. C'est un renardeau !

« Ben... Qu'est-ce que tu fais là, toi ? »

Quelque chose passe dans ses yeux noirs. Quelque chose de terrible. Un désespoir si grand qu'il me bouleverse.

« Tu es une bête sauvage... On t'a capturé ? »

Je n'ai aucun mal à imaginer la scène. Les chasseurs ont une manière particulièrement affreuse de traiter les renards. Ils font du feu devant l'entrée du terrier. La fumée pénètre à l'intérieur et, très vite, l'air devient irrespirable. Les occupants sont obligés de sortir s'ils ne veulent pas mourir asphyxiés. Et dehors, qu'est-ce qui les attend ? Le canon d'un fusil...

La mère du renardeau a sans doute été tuée ainsi, et peut-être aussi ses frères et sœurs. Lui, il était si petit, si fragile, que le chasseur l'a épargné. Il l'a pris par la peau du cou et l'a fourré dans sa gibecière, en se disant sans doute qu'à l'animalerie on lui en donnerait un bon prix...

Et l'orphelin, épouvanté, a pris le chemin de la prison.

Rien que d'y penser, j'en ai le cœur en marmelade.

« Il est joli, hein ? » dit la vendeuse.

Elle a un sourire plein de dents. Un sourire de carnassier guettant sa proie. Je la déteste. D'ailleurs, je ne supporte pas les gens qui vendent des bêtes comme si c'était de la marchandise inanimée. Une bête, ça ne s'achète pas, ça s'adopte. Ce n'est pas un objet, c'est un être vivant. Les objets n'ont pas besoin d'amour pour « se développer harmonieusement ».

Moi, je fais ma sale tête et je lui réponds aussi sec :

« Oui, mais qu'est-ce qu'il a l'air malheureux !

— Que vas-tu chercher là ? Il a faim, tout simplement. Je vais lui donner des croquettes. »

Des croquettes...? Des croquettes pour consoler un animal privé de liberté...? Elle n'a vraiment rien compris, cette bonne femme ! Qu'est-ce que je fais, je la mords ?

Le renard et moi, on se regarde. Il tremble. Dans ses minuscules yeux noirs, il y a la forêt, les odeurs de feuilles mortes, le terrier douillet où toute la famille s'emberlificote pour ne plus former qu'une grosse boule de poils. Et les tétines de la renarde, pleines de bon lait chaud...

Des croquettes... Oui, décidément, la vendeuse, j'ai bien envie de la mordre !

Maman arrive juste à temps pour m'en empêcher.

Chapitre 3

Le boucher aux mains rouges

Le supermarché est plein à craquer. Quelle bousculade, surtout au rayon alimentation ! Les clients se ruent avec une telle avidité sur les cartons de lait, les produits surgelés, les conserves et les céréales, qu'on dirait qu'ils sont affamés. Ils entassent les provisions dans leur chariot et foncent ventre à terre vers l'allée voisine. Des fromages sous vide, de la purée déshydratée ou du café en poudre viennent aussitôt augmenter leur butin.

« Touche pas à tout, Jeannot ! » glapit une grosse dame en direction d'un petit garçon chétif.

Mais le petit garçon n'écoute pas. Il vient de remarquer un trou dans un paquet de coquillettes, et ça le fascine. Comment résister à la tentation d'y fourrer le doigt ?

Par la déchirure brusquement agrandie s'échappe un torrent de pâtes.

« Regarde ce que tu as fait ! » hurle la mère.

Et plaf ! une gifle. Les braillements de Jeannot se perdent parmi la foule.

Diriger son Caddie là-dedans, ce n'est pas évident. Il faut louvoyer, freiner, faire marche arrière, repartir, tourner à angle droit. Je n'ai ni la force ni l'habileté nécessaire pour un tel slalom, si bien que je n'arrête pas de rentrer dans les gens. Un concert de protestations s'élève sur mon passage.

« Ça alors, quel sans-gêne !

— Attention, vous bousculez tout le monde !

— Ma parole, elle se croit dans une autotamponneuse, cette gamine !

— Aïe ! Je vais avoir des bleus aux chevilles ! »

Hou là là, quelle agressivité !

« Tu t'en sors, Zoé ? demande maman.

— Je fais mon possible...

— On aurait dû venir plus tôt ! La semaine prochaine, on partira *avant* le déjeuner.

— Oui, m'man. »

Il y a la queue au rayon boucherie. Les bouchers, avec leurs tabliers blancs tachés de sang et leurs grands couteaux, débitent à la chaîne des quartiers de viande. Sur l'étal sont posés les restes d'un cochon de lait : deux pattes, un petit derrière rebondi, une queue en tire-bouchon.

Hier, ce porcelet tout rose et tout dodu courait dans les prés, au milieu de l'herbe verte.

« M'man, j'ai envie de vomir... »

Mais maman ne m'écoute pas. Elle se demande ce qu'elle va prendre pour le repas de demain. Des côtelettes ou un rôti ? De la saucisse, ou quelques belles tranches de jambon à l'os ?

« Et que diriez-vous d'un peu de museau vinaigrette ? propose le boucher. Il est tout frais, on vient de le préparer. »

Du doigt, il montre un plat gélatineux garni de persil. Ses gants en caoutchouc sont maculés de rouge.

Si je reste encore une seconde

ici, je ne réponds plus de rien. Le message de mon estomac est clair. Quand il gargouille de cette façon, c'est qu'une catastrophe se prépare.

« M'man... »

Rien à faire, elle est trop absorbée pour s'occuper de moi. Tant pis, je n'ai pas le choix, il faut que je m'éloigne. Abandonnant mon Caddie, je fais quelques pas en arrière. Et la marée humaine m'emporte.

« Ne pas perdre m'man de vue, surtout... Ne pas perdre m'man de vue... » Ce petit refrain, je me le répète inlassablement, ballottée par la foule. Parmi la multitude de têtes, j'aperçois encore la sienne, facile à repérer : ses longs cheveux noirs, entortillés en chignon, sont retenus par une grosse pomme de plastique vert. Tant que je ne quitte pas cette pomme des yeux, tout va bien.

De minute en minute, la cohue devient plus dense. On me bouscule, on me comprime, on m'étouffe. Maintenant que je n'ai plus mon Caddie pour tenir les clients à distance, ils font comme si je n'existais pas. Je me sens de plus en plus petite, au milieu de ce gigantesque grouillement d'adultes. Si ça continue, je vais mourir écrasée.

« M'man... ?! »

Où est-elle passée ? Une sueur froide me glace : la pomme verte a disparu.

Au secours, j'ai perdu ma mère ! Je suffoque, je voudrais crier, mais mes poumons sont tellement comprimés qu'aucun son n'en sort. Ouvrir la bouche toute grande et rester muette, je ne connais rien de pire. C'est comme dans les cauchemars...

Mais... est-ce une illusion ? Il me semble que...

Je perds la tête ou quoi ?

Je frotte mes paupières, je regarde à nouveau... Non, je n'ai pas rêvé. Une chose inexplicable est en train de se produire. Inexplicable et plus horrible que tout ce qu'on peut imaginer :

LES CLIENTS SE SONT MIS À GRANDIR. OU ALORS, C'EST MOI QUI RAPETISSE...

Dans le supermarché, il y a maintenant une foule de géants. Je leur arrive à peine aux mollets... aux chevilles... aux genoux... J'ai l'air d'une souris au milieu d'un troupeau d'éléphants.

« M'maaaan... »

L'appel reste dans ma gorge. Tout ce que j'arrive à émettre, c'est un minuscule bêlement d'épouvante.

Si faible qu'ait été mon cri, il a résonné comme un coup de trompette. Le silence tombe aussitôt, et des milliers d'yeux curieux se tournent vers moi.

« Ooooh, qu'elle est mignonne ! s'écrie une ménagère de vingt mètres de haut.

— Un vrai poussin en sucre ! »

roucoule une autre, plus imposante qu'un immeuble de dix étages.

Un immense éclat de rire salue sa réflexion.

« En sucre, oh, oh, oh ! En chair et en os, vous voulez dire ! » s'esclaffe un barbu colossal, vêtu d'un blue-jean et d'une chemise de bûcheron. Son ventre qui tressaute ressemble à un tremblement de terre. Une rumeur de convoitise parcourt la foule.

« Mmmmmm, de la bonne chair fraîche bien tendre ! ajoute un monstrueux papy en se pourléchant les babines.

— Et de bons petits os, aussi croquants que des chips ! »

Des visages sadiques sont penchés sur moi, découvrant des dents acérées, en forme de couteaux de boucher.

« Comment allons-nous la préparer ? Au barbecue ? tonne à nouveau la voix du barbu.

— En hachis parmentier, plutôt ! » suggère la ménagère.

Le papy s'essuie la bouche avec sa manche :

« Moi, je préférerais en brochettes ! »

Des dizaines de doigts crochus plongent vers moi.

Avec un hurlement d'épouvante, j'échappe de justesse aux griffes qui tentent de me saisir, et je me jette à quatre pattes entre les jambes des ogres.

Le passage que je me fraie est sombre. Je risque à chaque instant d'être écrasée par les monumentales chaussures qui bougent sans cesse, vont, viennent, s'élèvent et retombent avec un fracas de fin du monde.

Dans ce chaos, je détale à perdre

haleine, les bras sur ma tête pour me protéger.

Des cris venus d'en haut accompagnent ma fuite :

« Attention, elle se sauve !

— Vite, elle va nous échapper !

— Ici ! Je la vois !

— Non, là-bas ! À côté de votre talon !

— Sous votre cabas ! Laissez-moi passer, je vais l'avoir !

— Pas question, elle est à moi ! Poussez-vous !

— Poussez-vous vous-même, espèce de goujat ! »

Les géants se précipitent tous en même temps sur moi, se heurtent, perdent l'équilibre, roulent les uns par-dessus les autres. J'en profite pour m'extraire de la masse et filer à l'autre bout du magasin.

Je suis effectivement devenue toute petite, puisque je n'atteins plus les rayonnages. Du coup, le supermarché offre un bien curieux paysage ! Aux murailles de cartons de lait succèdent des pyramides de boîtes de conserve, des bunkers de paquets de sucre, des citadelles de bocaux de confiture. Un vrai décor de film de science-fiction… et l'idéal pour se cacher !

Heureusement, car déjà les ogres se sont ressaisis et s'élancent à ma poursuite. Sans hésiter, je plonge dans un ravin de pain d'épice. Une caverne s'ouvre devant moi, dans le flanc d'une montagne de nounours en gélatine. Je m'y glisse.

Un délicieux parfum de grenadine, de menthe et de fraise des bois m'accueille. Les murs translucides laissent passer une lumière de vitrail. Tout est rose, vert acide, orange, jaune citron. Si je m'installais ici, le temps que ça se calme ?

Les vociférations de mes poursuivants me parviennent, assourdies par les épaisseurs de bonbons. Pas de doute, ils sont furieux. Pourtant, à bien y réfléchir, je ne suis pas une grande perte : ils ne feraient qu'une bouchée de moi ! Et encore : une toute petite bouchée... Je ne comprends pas leur obstination : ils ont des aliments drôlement meilleurs et bien plus copieux à leur disposition !

Et si...

Un frisson me parcourt l'échine.

Et si j'étais juste un divertissement, pour eux ? Ce qui leur plaît, après tout, c'est peut-être moins l'idée de me manger que le plaisir de me poursuivre et de m'attraper...

Ça, c'est l'idée la plus effrayante qui me soit jamais venue à l'esprit ! Il existe donc des êtres assez mauvais pour s'amuser de la peur de leurs victimes ?

Chapitre 4

La vallée des ténèbres

On dirait que les géants s'éloignent. Ils ont dû renoncer à me capturer, et sont retournés à leurs occupations. Je vais patienter ici en attendant la fermeture du supermarché. Et lorsque tous les clients seront partis, je pourrai tranquillement sortir de ma cachette pour rentrer à la maison.

En attendant, si j'explorais mon nouveau domaine ?

La grotte de nounours a plusieurs issues. Pour les atteindre, il me suffit d'escalader les monticules de gélatine élastique. Mes pieds s'y enfoncent comme dans un matelas. Si je saute, je rebondis. Et si je tombe, non seulement je ne me fais pas mal, mais je peux même lécher le sol, ou en grignoter des petits morceaux. C'est extraordinaire !

Devant moi s'ouvre une galerie étroite où on ne peut pénétrer qu'à plat ventre. Elle donne sur une autre caverne, différente de celle où je me trouve, mais encore plus appétissante. Si j'osais, j'y jetterais bien un coup d'œil... et même un coup de langue, pourquoi pas ?

Allez, hop ! J'introduis ma tête dans le boyau, je force un peu pour que les épaules passent. Une matière souple, caoutchouteuse, m'enveloppe. En rampant sur les coudes et les genoux, je progresse à la manière des spéléologues. Heureusement que la galerie n'est pas trop longue !

La salle où j'aboutis est toute blanche et tapissée d'énormes cubes mous. J'arrache un petit bout de mur, je le goûte... Nom d'une cacahuète à moteur, c'est du Chamallow !

Moi, les Chamallows, j'adore ça. Je suis capable d'en manger jusqu'à ce que mon ventre éclate.

Sans plus réfléchir, je me rue sur les parois de mon repaire, la mâchoire grande ouverte.

Les joues gonflées par la délicieuse pâte sucrée, j'avale, j'avale, et j'avale encore. J'ai tout oublié : maman, la peur, les ogres, et même le petit renard tremblant dans sa cage. Seule compte cette sensation unique et merveilleuse : engloutir du Chamallow à volonté, sans personne pour me rappeler à l'ordre, et sans que le paquet finisse jamais.

Quand enfin je m'arrête pour reprendre haleine, il manque tout un pan de mur dans la caverne.

Au moment où les premiers cubes se détachent du plafond, je réalise mon erreur. Ma gourmandise a déstabilisé le fragile édifice.

« Au secours... »

Trop tard ! Les cloisons se lézardent, les parois s'effondrent. Bientôt, la construction tout entière s'écroule sur moi. Par chance, le Chamallow, c'est bien plus léger que la pierre. Je m'en tire donc indemne, juste un peu étourdie par l'avalanche. Il ne me reste plus qu'à tenter d'émerger vaille que vaille des décombres.

Soudain, horreur ! Une pleine

poignée de cubes s'envolent, puis une autre, et un visage plus grand qu'une planète se penche sur moi. Celui d'un enfant qui zézaie, la bouche pleine :

« Oh ! un zouet ! Comme il est zoli ! »

J'ai du mal à reconnaître, dans cette énorme tête ronde, le petit garçon aux coquillettes de tout à l'heure. Pourtant, c'est bien lui : il a encore, sur la joue gauche, la trace de la gifle de sa mère.

Une main poisseuse se tend dans ma direction. Chacun de ses doigts a la taille d'un arbre.

« Regarde, maman, une petite poupée avec des ssseveux rouzes ! Et elle bouze ! Ze la veux ! »

Déjà, la main s'est refermée sur moi et m'emporte dans les airs. Épouvantée, je hurle à pleins poumons. Mais personne ne m'entend, sauf le petit garçon.

« C'est rigolo, ça crie avec une voix de petite sssouris ! »

Je me débats de toutes mes forces, je rue, je mords, je griffe, ce qui l'amuse follement. Son rire redouble :

« Hi hi hi, ça sssatouille !

— Cesse de toucher à tout, Jeannot ! dit sévèrement sa mère.

— Ze la veux ! Ze la veux ! » trépigne le petit garçon.

Plaf ! Une seconde gifle, suivie d'un hurlement assourdissant. Jeannot me lâche pour porter la main à sa joue droite endolorie.

La chute est terrible. Je vais m'écraser sur le sol, des centaines de mètres plus bas. Au secoooooours !

*

* *

Tiens, je suis toujours vivante ?

À moitié étourdie, je me redresse et regarde autour de moi. Il fait sombre et très chaud. Nom d'une chaussette en bikini, où suis-je tombée ?

Non seulement je n'ai rien de cassé, mais l'endroit où je viens d'atterrir est plutôt confortable. On dirait... une sorte de précipice matelassé. Le fond d'un gouffre entre deux parois à pic, aussi moelleuses que des coussins.

Dans la demi-obscurité de cet endroit étrange, j'aperçois une forme, non loin de moi. Une masse immobile, rouge foncé. Intriguée, je m'approche.

Ça alors ! Un camion de pompiers avec les roues en l'air. Un camion accidenté... et à ma dimension.

Mais alors...

... ou je suis dans un monde de gens tout petits, ou ma chute m'a rendu ma taille normale !

Mon cœur se met à battre très vite. Y a-t-il des rescapés, dans ce camion, ou n'est-ce qu'une épave ?

Après quelques secondes d'hésitation, je me penche vers l'une des vitres.

« Hou hou... Ça va, là-dedans ? Personne n'a besoin d'aide ? »

Pas de réponse. Pourtant... Il y a quelqu'un au volant. Un homme coiffé d'un casque métallique, tout droit, inerte, la tête en bas.

Pendant un moment, je reste sans voix, le souffle court. Puis je me ressaisis et, prenant mon courage à deux mains, je bégaie :

« M... Monsieur... vous êtes b... blessé ? »

Qu'est-ce qu'on fait, dans un cas pareil ? On pleure ? On crie ? On se sauve à toutes jambes ?

Non, on cherche de l'aide.

Je jette un regard affolé sur les contreforts de la montagne. Mais pas un chat à l'horizon. Ni même une cabine téléphonique. Rien que le désert et un silence de mort.

Décidément, je ne peux compter que sur moi-même.

Voyons, si j'étais secouriste, quel

serait mon premier réflexe ? Dégager la victime, évidemment !

Malgré ma tremblote, je m'efforce d'ouvrir le véhicule. Comme la poignée est à l'envers, ce n'est pas simple, mais en m'obstinant, je finis quand même par y arriver. Dans un effroyable grincement, la portière se débloque.

Le conducteur, que plus rien ne retient, bascule sur moi et me renverse.

« AAAAAHHH ! »

Je n'ai pas pu me retenir de hurler. Je suis nez à nez avec le pompier, qui m'écrase de tout son poids. NEZ À NEZ AVEC UN CADAVRE.

Il a les yeux grands ouverts. Des yeux immenses, tout ronds, sans cils et sans regard. On dirait presque qu'ils sont... peints sur son visage.

Qu'il est lourd ! Jamais je n'arriverrai à me dégager de sous ce... ce... CE MANNEQUIN !

D'un seul coup, je réalise. Ce n'est pas un être humain, c'est un bonhomme de bois.

Mais... Que faisait-il au volant d'un camion ?

Mes cheveux se dressent sur ma tête. Dans quel genre d'univers suis-je tombée ? Un monde de robots ? D'automates ? D'androïdes ?

Brrrr, mieux vaut ne pas moisir ici !

Au-dessus de moi, très loin, il y a une fente de lumière. Il faut à tout prix que je grimpe jusque-là. Mais bon sang, que c'est haut !

De curieuses lianes pendent de la muraille. Je ne sais pas ce que c'est, mais il suffit que je m'y accroche pour me hisser.

Courage, allons-y ! De toute façon c'est la seule issue.

Un quart d'heure plus tard, j'atteins sans encombre le sommet des falaises. Et j'émerge... à l'air libre !

Nom d'un ver de terre enrhumé, je comprends tout ! Le ravin duquel je viens de m'extirper, c'est la poche de l'anorak de Jeannot. Les lianes, ce sont les fils de la doublure qui s'effiloche. Et le camion de pompier n'est autre... qu'un jouet.

Quand je pense à la peur que j'ai eue, franchement, j'ai bien envie de me moquer de moi !

« Passe-moi le paquet de sucre, Jeannot ! Et le riz, et la confiture... Allons, rends-toi utile ! » glapit une voix désagréable.

Nous sommes aux caisses. Houspillé par sa mère, le petit garçon sort les articles du Caddie. Il se dépêche tant qu'il peut, mais les articles sont lourds et le Caddie profond.

« J'y arrive pas, m'man...

— Un petit effort, voyons ! »

Pauvre Jeannot, quelle gymnastique ! Enfin, ça l'occupe, et pendant ce temps-là il ne fouille pas dans ses poches. Ça me fait toujours gagner un peu de temps.

Accrochée aux rebords du tissu, j'observe les alentours. Ce serait chouette, quand même, si dans toute cette foule, j'arrivais à repérer ma mère !

Hélas ! j'ai beau me décrocher le cou, écarquiller les yeux et tourner la tête en tous sens, pas plus de maman que de poil sur un caillou.

Ça y est, le chariot est vide. Avec un « bip » sonore, le dernier paquet de nouilles passe devant l'œil électronique de la caisse. La mère de Jeannot ouvre son porte-monnaie.

« Combien vous dois-je ? demande-t-elle à l'employée.

— Cent trente-deux francs. »

Tandis qu'elle paie, son fils se glisse en catimini derrière elle et file en direction de l'aire de jeux, à l'autre bout du centre commercial.

C'est le moment ou jamais. Comme il passe à proximité d'une poubelle, je prends mon élan, et hop ! je saute.

Quel vol plané ! Tarzan, à côté, c'est de la rigolade !

Par chance, je tombe dans un vieux reste de barbe-à-papa. Le nuage douillet amortit ma chute. Au moins, ici, personne ne viendra me dénicher...

Je somnole dans mon duvet de sucre quand, juste à côté de moi, éclate un ramdam du tonnerre. Un son de bouteilles vides et de canettes qui s'entrechoquent violemment. Dominant le brouhaha, quelqu'un crie :

« Va déjà à l'étage, je termine le rez-de-chaussée et je te rejoins ! »

Intriguée, je risque un coup d'œil hors de mon abri, et qu'est-ce que je vois ? Un éboueur en salopette verte, occupé à vider les poubelles dans une grosse boîte à ordures montée sur roulettes.

Hou là, un nouveau péril me guette ! Je ne veux pas partir dans le camion-benne, moi ! Pas question que je finisse au fond d'une décharge, avec les boîtes de sardines vides, les légumes pourris et les mégots de cigarettes !

La salopette verte n'est plus qu'à quelques pas de moi. Un gigantesque gant de caoutchouc se tend. Sauve qui peut !

Les poubelles du centre commercial se composent de paniers métalliques vissés dans le mur, et garnis de sacs plastique. C'est dans un de ces sacs que je me trouve. À l'instant où l'éboueur l'arrache à son armature, je ferme les yeux, je prends mon élan, saute... et hop ! je me rattrape à l'une des barres du support, où je reste suspendue dans le vide, comme une trapéziste.

Le cœur battant, je vois le sac plastique disparaître dans la boîte à ordures, dont le couvercle se referme avec un claquement sec. Nom d'une pâquerette à bicyclette, je l'ai encore échappé belle !

Tandis que l'éboueur s'éloigne avec son chariot vers la poubelle voisine, j'opère un rétablissement. Et mentalement, je bénis l'usine qui a fabriqué le panier. Car les mailles de fer sont si rapprochées que je peux m'en servir comme échelle.

Après une descente interminable, je mets enfin pied à terre.

Bon. Et maintenant, qu'est-ce que je fais ?

Comme s'il répondait à ma pensée, un jappement amical me parvient. La voilà, la solution : je vais aller me réfugier dans l'animalerie !

Chapitre 5

Une voix qui parle dans ma tête

Se glisser entre les cages n'est pas une mince affaire. J'ai beau me faire le plus discrète possible, la vendeuse m'aperçoit.

« Qu'est-ce que c'est que cette cochonnerie ? » s'écrie-t-elle, avec une affreuse grimace.

Elle appelle aussitôt son collègue :

« Marcel, viens voir ! On a des parasites ! »

De la réserve surgit un gros garçon à lunettes, à peine plus vieux que Rémi mais deux fois plus épais.

« Où ça ? halète-t-il, tout essoufflé.

— Là, à côté des hamsters ! »

Le gros garçon se baisse avec difficulté. Derrière ses verres en forme de hublots, son regard inspecte tous les recoins du magasin.

Cachée derrière un paquet de nourriture pour rongeurs, j'essaie de rétrécir au minimum. Mais, malgré sa myopie, Marcel a de bons yeux.

« Ouais, je l'aperçois ! Une sorte de blatte à tête rouge. Crénom, elle est dodue ! Je vais lui faire sa fête, à celle-là ! »

Et, le visage fendu d'un rictus féroce, il brandit la plus terrifiante des armes : une bombe d'insecticide.

La peur m'arrache un cri horrifié : « Mamaaaaan ! »

L'index boudiné se recourbe sur le poussoir. Dans une fraction de seconde, le gaz mortel va gicler.

Paralysée par l'épouvante, je m'époumone toujours :

« MAMAAAN ! MAMAAAN ! !!»

Le rictus de Marcel se transforme en une mimique ahurie.

« Tu savais que ça parlait, toi, les parasites ? demande-t-il à la vendeuse.

— Qu'est-ce que tu racontes ?

— Ben ouais... Ça a l'air d'un gag, mais la blatte...

— Eh bien ?

— ... elle est en train d'appeler sa mère ! »

La vendeuse fronce les sourcils

et, pointant un doigt accusateur vers le garçon joufflu, rugit :

« Toi, tu es soûl !

— Je te jure que non, je n'ai bu que du jus de tomate !

— Alors, tu as des hallucinations. C'est encore pire ! »

Et, toute raide, elle tourne les talons pour aller servir un client.

Marcel se gratte le crâne avec perplexité.

« Je ne peux tout de même pas pulvériser un insecte qui dit maman... », marmonne-t-il.

L'embarras fait cligner ses petits yeux encadrés par les larges montures de ses lunettes.

« Mais d'un autre côté, si je le laisse vivre, il va se reproduire, pulluler, envahir le magasin, et ça sera la catastrophe. Sans compter que le patron risque de me mettre à la porte pour faute professionnelle... Quel dilemme ! »

Pendant qu'il pèse le pour et le contre, il ne s'occupe pas de moi. J'en profite pour m'esquiver en douce.

Mais où aller ?

« Ici !

— Hein ? !»

Je lance des regards furtifs autour de moi. Ma parole, je rêve : je viens d'entendre une voix. Et pourtant, j'en suis sûre, personne n'a parlé.

La voix, JE L'AI ENTENDUE DANS MA TÊTE !

« Par ici, Zoé. Sur ta droite ! »

Sur ma droite, il n'y a que le petit renard.

Marcel, toujours en proie à ses états d'âme, poursuit son monologue : « N'empêche, si cette bestiole a crié maman, c'est qu'elle a une mère à proximité. Et tuer un enfant devant sa mère, il n'y a rien de plus cruel... »

Filons avant qu'il se ressaisisse.

Sans plus réfléchir, je m'insinue dans la cage du renardeau. À nouveau, la voix résonne au fond de ma tête :

« Cache-toi dans ma fourrure ! »

Inutile de perdre un temps précieux à me poser des questions, j'essaierai de comprendre plus tard. Puisqu'on me le propose si gentiment, je saute à pieds joints dans le pelage roux.

Il était temps ! Marcel vient de prendre une décision.

« Une mère blatte, ce n'est pas une vraie mère. Les insectes n'ont pas d'instinct maternel. Ils pondent des œufs par milliers, alors, un de plus ou de moins, ça ne fait pas de différence. »

En paix avec sa conscience, il actionne son aérosol. *Pschiiiii !* Un brouillard malodorant et suffocant s'en échappe.

Lorsqu'il se dissipe, le gros garçon a disparu et tous les animaux toussent à fendre l'âme. Ça fait un drôle de concert dans le magasin !

« Que se passe-t-il ? demande un client. Vos pensionnaires sont malades ?

— Pensez-vous ! répond la vendeuse. C'est simplement l'effet du traitement anti-vermine. Nous désinfectons régulièrement les cages, par mesure d'hygiène !

— Ce n'est pas nocif pour les bêtes ?

— Bien sûr que non ! Regardez ce que dit la notice : *Inoffensif pour les mammifères.* »

Inoffensif, mon œil ! Les chiots pleurent, les hamsters reniflent, les rats crachent, les souris éternuent. Les lapins ont le blanc des yeux rouge. Quant au petit renard il produit un sifflement aigu en respirant.

Sa fourrure m'ayant protégée des émanations, je suis la seule à m'en sortir indemne.

Tiens ? Ça alors, c'est bizarre : à présent, ce n'est plus UNE voix que j'entends dans ma tête, mais PLUSIEURS. Un vrai chœur de lamentations :

« J'ai la gorge qui brûle !

— Mes paupières me piquent !

— Je vais encore avoir une poussée d'urticaire !

— Et moi un rhume des foins !

— Et moi de la conjonctivite ! »

Faisant un gros effort de concentration, j'interroge en pensée :

« Mais enfin, qui êtes-vous ? »

La réponse me parvient entre deux toussotements :

« Tu ne nous as pas reconnus ? Nous sommes les prisonniers de l'animalerie ! »

Ça, c'est nouveau ! Je peux communiquer avec les bêtes, maintenant ?

Ce phénomène s'appelle de la « télépathie », si je me souviens bien. J'ai vu une émission là-dessus, à la télé. Mais je croyais que c'était réservé aux magiciens...

Dans la cage d'à côté, le caniche m'observe, assis sur son derrière.

Au mouvement de ses oreilles, je réalise que c'est lui qui me parle.

« Tout le monde peut communiquer avec les bêtes, m'explique-t-il. Il suffit juste d'être attentif. Malheureusement, personne ne le sait. C'est pour ça que les humains nous comprennent si mal !

— Et qu'ils nous font tant souffrir ! » ajoute le mini-bouledogue.

Je suis si émue que j'en bégaie.

« Co... comment ça se fait que... que moi....

— Oh, toi, tu es déjà douée, au départ ! explique le caniche. Tu nous aimes beaucoup plus que la plupart des gens !

— Et maintenant que tu fais partie de la race des petits et des faibles, ça te permet de nous comprendre encore mieux ! » ajoute un couinement nasillard.

Un rat, qui lisse ses moustaches

avec ses pattes roses, me fixe attentivement.

« Ce n'est pas drôle, hein, de se retrouver de l'autre côté de la barrière ! » ajoute-t-il.

Je les regarde tous, les uns après les autres, tapis derrière leurs barreaux. Et d'un seul coup, je fonds en larmes. C'est vrai, ce n'est pas drôle !

Une truffe noire et luisante s'approche doucement vers moi. Elle me rappelle celle de Hot-dog, mais en dix fois plus grosse. D'évoquer mon chien, ça me réconforte un peu.

Sous le pelage couleur de feu, la peau du petit renard dégage une odeur âcre. La sueur de la peur. Comme j'aimerais, à cet instant, retrouver ma taille normale pour le prendre dans mes bras et le couvrir de caresses !

Mais je suis trop petite, hélas !...

Par contre, être petite n'a pas que des inconvénients ! Saisie d'une brusque inspiration, je serre les poings.

« Je vais vous libérer, les copains ! »

Chapitre 6

L'ivresse de la liberté

« À demain, Marcel ! dit la vendeuse, en tournant sa clé dans la serrure de la porte blindée.

— À d'main ! »

En voyant la jeune femme et le gros garçon s'éloigner, chacun de son côté, dans les allées du centre commercial désert, je pousse un soupir de soulagement. Les animaux en font autant. Enfin seuls !

La journée a été longue. Si longue qu'on a bien cru qu'elle ne se terminerait jamais. Heureusement, tout a une fin, même les mauvais moments. Même la captivité.

« Au travail, les amis ! »

Nous avons du pain sur la planche, car non seulement il faut ouvrir toutes les cages, mais aussi sortir du magasin.

Et après ? Après, on avisera. Chaque chose en son temps. L'essentiel est déjà de s'évader.

Les cages sont fermées par des loquets. Si j'avais encore ma taille d'avant, ce serait un jeu d'enfant, pour moi, de les tirer. Mais vu ma dimension actuelle, je ne suis pas du tout sûre d'y arriver.

« Il faut que je monte sur ta tête pour être à la bonne hauteur », dis-je au petit renard.

En deux temps trois mouvements, je me retrouve au sommet de son crâne. Ainsi, je peux atteindre le loquet, en passant mes deux mains à travers les barreaux.

Han ! Han ! Nom d'un hippocampe en jogging, que c'est lourd ! Jamais je n'arriverai à faire bouger ce truc-là !

Mes muscles me font mal, la transpiration colle mes cheveux carottes-râpées sur mon front, mais je m'obstine. Je me fais l'effet d'un athlète de foire essayant de soulever des haltères de cent kilos !

Han ! Han !

Les animaux me soutiennent de leur mieux.

« Vas-y ! aboient les chiots.

— Tu y es presque ! couinent les souris blanches.

— Zoé, c'est toi la meilleure ! lancent les hamsters.

— À cœur vaillant, rien d'impossible ! » émet sentencieusement le rat, en se grattant le ventre avec sa patte arrière.

Quant aux lapins, ils remuent si éloquemment les oreilles que ça m'encourage autant que s'ils criaient !

Victoire ! Sous mes efforts acharnés, le loquet vient de céder. Lentement, la porte pivote.

Une assourdissante ovation salue ma performance.

« Vive Zoé, notre libératrice ! »

D'un bond, le petit renard sort de sa prison. Agrippée à ses oreilles, j'évalue en soupirant le travail qui reste. Quand je pense au temps qu'il m'a fallu pour ouvrir une seule cage... Si je dois déployer vingt fois de suite la même énergie, la nuit n'y suffira pas !

Ni la nuit, ni mes forces...

« Ne t'inquiète pas, dit le petit renard, je vais t'aider. Maintenant

que je suis à l'extérieur, c'est beaucoup plus facile ! »

Il a déjà atteint la cage voisine, celle du caniche, et du bout de son museau soulève délicatement le loquet.

« Merci ! » s'écrie le caniche en remuant sa queue à pompon. Et il nous gratifie tous les deux d'un coup de langue qui manque de me faire basculer.

Quelques instants plus tard, le mini-bouledogue est libre, lui aussi.

Puis ce sont les lapins, les hamsters, le rat. Et tous viennent en aide aux derniers captifs.

Bientôt, avec des piaillements, des roucoulements, des trilles et des gazouillis, les oiseaux s'évadent à leur tour. Perruches, canaris, colombes — et même un perroquet, couleur d'arc-en-ciel — commencent par déployer leurs ailes engourdies, puis, ivres de liberté, sillonnent le magasin d'un vol désordonné. C'est si beau que j'en ai le souffle coupé !

Bon, maintenant il faut quitter l'animalerie. Et ça non plus, ce n'est pas une mince affaire ! Les serrures blindées, c'est autre chose à forcer que les loquets des cages : un vrai boulot de cambrioleur professionnel !

Je me tourne vers les bêtes :

« Il n'y a pas d'autre issue que la porte d'entrée ? »

Des hochements de tête consternés m'assurent que non.

Je soupire :

« Si seulement nous avions une clé... Mais j'ai vu la vendeuse la mettre dans sa poche, et... »

Un léger miaulement m'interrompt : celui d'un chaton blanc avec une tache noire autour de l'œil, qui lui donne l'air d'un pirate. D'où sort-il, celui-là ? Je ne l'ai vu dans aucune cage...

« Je sais où trouver un double de la clé, ronronne-t-il. Viens, je vais te montrer. »

Sitôt dit, sitôt fait : je m'accroche à sa queue, j'escalade son échine et je m'installe à cheval sur sa nuque.

En trois bonds gracieux, ma « monture » saute sur le comptoir.

« Moi, je ne suis pas à vendre, explique le chaton pirate. Je fais partie de la “maison”. L'autre jour, Marcel jouait avec moi. Il a ouvert le tiroir pour prendre un papier et en faire une boulette, et tout au fond, j'ai aperçu... »

Inutile d'en dire plus, j'ai compris. Sans trop me faire d'illusions, je saisis la poignée du tiroir à pleines mains, je m'arc-boute, et je tiiiiire...

Miracle ! Dans un brusque glissement, le tiroir coulisse. Il coulisse même si bien que, avec un fracas assourdissant, il s'effondre par terre, répandant son contenu pêle-mêle sur le sol.

Déjà, le chaton pirate, le rat et les hamsters se sont rués sur la clé, qui brille au milieu de l'amoncellement de paperasses, et la brandissent triomphalement. Puis, en procession, nous nous rendons tous à la porte d'entrée.

Chapitre 7

Lorsque les loups hurlent à la lune

Impossible de décrire la joie des animaux quand le panneau blindé pivote enfin ! D'un même élan, chiots, souris, hamsters, rat et lapins se précipitent dehors ventre à terre.

Le chat pirate les regarde partir en ronronnant, puis, tranquillement, regagne son panier au fond de la boutique. Il a fait pour le mieux, ce qui va se passer maintenant ne le concerne plus.

Dans un grand froissement d'ailes, les oiseaux se sont élancés à l'assaut des étages supérieurs. Perchés sur les rambardes et suspendus aux lustres du plafond, ils chantent à tue-tête.

Le petit renard, dont j'ai regagné l'encolure, n'est pas le dernier à prendre la poudre d'escampette. Cramponnée à ses poils, je me fais l'effet d'un cavalier fonçant vers l'horizon à la vitesse du vent. C'est très exaltant ! Au grand galop, il traverse la galerie marchande sur toute sa longueur, pour stopper net devant le rideau de fer qui condamne l'entrée principale.

Le caniche nous rejoint peu après. Le mini-bouledogue arrive bon dernier, essoufflé, la langue pendante.

Je vous laisse deviner la déception des fuyards devant l'infranchissable obstacle !

« Nous voilà bien avancés..., gémit le petit renard.

— Tout ça pour rien..., ajoute le caniche.

— Si nous ne pouvons pas quitter l'enceinte du centre, c'est comme si nous n'avions rien fait ! renchérit le mini-bouledogue. Demain, "ils" nous rattraperont et ce sera de nouveau comme avant ! »

Une petite voix nasillarde interrompt le concert de lamentations :

« Tout n'est peut-être pas perdu, les copains... Regardez les oiseaux ! »

Quatre têtes — dont la mienne ! — se tournent vers celui qui vient de parler. Du museau, le rat nous montre le plafond.

Curieusement, les perruches, les canaris et les colombes, qui voletaient dans tous les sens, prennent à présent la même direction. On dirait... mais oui ! une bande d'oiseaux migrateurs comme on en voit dans le ciel lorsque revient l'hiver.

« Ça alors ! Où vont-ils ? s'étonne le caniche.

— Ils ont peut-être trouvé une sortie ? suggère le mini-bouledogue.

— Suivons-les ! »

Et nous voilà repartis en sens inverse, à nouveau pleins d'espoir.

« Oh ! comme c'est beau ! murmure le petit renard, en extase.

— Je n'en crois pas mes yeux ! s'écrie le caniche.

— Et moi, j'en ai le souffle coupé ! » ajoute le mini-bouledogue.

Moi aussi, j'en ai le souffle coupé. Qu'un lieu aussi magique

puisse exister, surtout ici, dans ce centre commercial, jamais je n'aurais osé l'imaginer !

Nous sommes dans une serre gigantesque, que le soleil couchant éclaire d'une lueur rose. À perte de vue, des arbres, des buissons, des taillis. Une véritable jungle !

Derrière un rideau d'orchidées coule une fontaine. On l'entend frémir au milieu de la verdure. Des bouffées de fraîcheur montent de la terre humide, mêlées au parfum des fleurs exotiques.

Il ne nous faut pas longtemps pour nous sentir vraiment « chez nous ». Au pied d'un gros arbuste, le renardeau s'empresse de creuser un terrier, tandis que je me mets en quête de feuilles mortes pour le garnir.

La nuit obscurcit maintenant les murs de verre de la serre. L'ombre a envahi la forêt. Les oiseaux se sont tus et dorment dans les branches, la tête sous l'aile. D'infimes bruissements emplissent le sous-bois, révélant la vie secrète, toute neuve, qui y grouille.

Assise sur la mousse, je regarde la lune, lorsque soudain... Un hurlement à vous glacer le sang déchire le silence. En ombre chinoise, je distingue nettement une silhouette au museau pointé vers le ciel.

Un loup !

Un second cri lugubre se mêle bientôt au premier. Ce n'est pas UN loup qui a envahi notre domaine, mais toute une meute...

Épouvantée, je plonge la tête la première dans le terrier. Dehors, les hurlements continuent de plus belle.

Une foule de questions, toutes plus angoissantes les unes que les autres, m'assaillent. Combien peuvent-ils être ? Dix, cent, des milliers ? Les loups mangent-ils les renards, les chiens, et les minuscules petites filles ? Sommes-nous tous en danger de mort ?

Peut-être le renardeau pourra-t-il me répondre...

Tiens, à propos, où est-il ? Le terrier est désert.

Une sueur froide me saisit de la tête aux pieds. Pourvu que... D'un coup, je me le représente, lui si jeune, si faible, encerclé par les prédateurs aux yeux rouges. Des dents féroces brillent dans le noir. Déjà, les monstres se lèchent les babines. Ils ne vont en faire qu'une bouchée...

Non, je ne peux pas laisser faire ça ! Tenaillée par l'angoisse, je jaillis de mon abri.

« Renardeauuuu ! »

Sous la lune, le loup hurle toujours.

Mais... Nom d'un champignon en tutu, depuis quand les loups ont-ils des frisettes au sommet de la tête et des pompons au bout de la queue ? « Tu es devenu complètement fou ou quoi ? Je viens d'avoir la frousse de ma vie ! »

Aussi soudainement qu'il avait commencé, le hurlement s'arrête. Honteux, le caniche baisse la tête vers moi. Ses yeux luisent étrangement.

« Mais... Tu pleures ? »

De grosses larmes coulent sur son museau.

« Que se passe-t-il, mon pauvre chien ? Tu n'es pas heureux d'être ici ?

— Ben... non. Et mon copain non plus... »

À côté de nous, le mini-bouledogue, allongé le museau entre les pattes, renifle.

L'étonnement me fait bafouiller.

« M... Mais, je ne comprends pas. La liberté ne vous plaît pas ? V... Vous regrettez la captivité ? »

Leurs deux têtes oscillent de gauche à droite en silence.

« Alors ? Qu'est-ce que vous voulez ?

— Un maître, dit le caniche.

— Une maison, ajoute le mini-bouledogue. Nous sommes des animaux domestiques, nous. Nous ne sommes pas faits pour la vie sauvage. Courir dans la forêt, nous adorons ça, mais à condition de retrouver notre coussin et notre gamelle, une fois la promenade finie ! »

Là, franchement, ils exagèrent ! Après tout le mal que je me suis donné pour les délivrer !

Je m'apprête à leur répondre vertement quand, soudain, l'image de Hot-dog me traverse l'esprit. Est-ce que ça lui plairait, à lui, la liberté ? Comment réagirait ma pauvre saucisse à pattes, perdue dans une forêt ?

« Les chiens ne peuvent pas survivre seuls, explique le caniche. Nous ne sommes pas assez débrouillards. Et surtout, nous avons besoin de maîtres qui nous aiment et qui nous caressent... »

Son aveu est si bouleversant que ma gorge se serre.

« Mais vous m'avez, moi...

— Toi ? Ça ne compte pas, tu es bien trop petite... Tu pourrais juste servir de maîtresse à une fourmi ! »

Je n'avais pas prévu ce nouveau problème. Il va falloir trouver d'urgence une solution. Mais en attendant, il est tard et j'ai sommeil.

« Venez dans le terrier pour cette nuit. Demain, nous aviserons. »

L'instant d'après, nous nous blottissons tous trois au fond du trou, dans notre nid de feuilles mortes. Le renard nous rejoint peu après, tout frémissant de sa course nocturne. Lui, au moins, est heureux. Il a retrouvé son élément. Des perles d'eau fraîche scintillent dans sa moustache, son poil sent bon la terre. Dans sa gueule, il rapporte une branche couverte de myrtilles.

« Bon appétit ! » dit-il, tout fier de sa trouvaille.

Mais les chiens refusent tristement cette nourriture peu adaptée. Moi, par contre, je me régale : à mon échelle, chaque baie a la taille d'une orange !

Ce sont les premières lueurs de l'aurore qui me réveillent. Je me sens en pleine forme. Jamais je n'ai passé une nuit aussi douillette.

Mes trois compagnons dorment encore. Dans la forêt bruissante, les oiseaux saluent la naissance du jour. Sur la pointe des pieds, je me glisse hors du terrier.

La fraîcheur humide du petit matin me saisit. Je frissonne. Un peu de jogging ne serait pas superflu, pour me réchauffer !

« Une, deux, une, deux... »

Ma course m'amène près de la fontaine.

Dans un petit bassin — qui, pour moi, a la dimension d'un étang ! — flottent des nénuphars. Des poissons rouges aussi gros que des baleines font des bulles parmi les plantes aquatiques. En me penchant pour les regarder, j'aperçois mon reflet dans l'eau.

Eh bien, j'en ai, une drôle d'allure ! Si maman me voyait...

Dormir dans un terrier n'a pas que des avantages. Ma peau et mes habits sont tout crottés. Quant à mes cheveux, n'en parlons pas : ce n'est plus à des carottes râpées qu'ils ressemblent, mais à une touffe de foin hérissée de brindilles.

C'est le moment de faire un peu de toilette.

Quelques minutes plus tard, je nage toute nue dans le bassin. Une jupe de feuille remplace bientôt mon jean souillé, et un tee-shirt en pétales de fleurs complète ma tenue.

Je prends un bain de soleil, allongée au bord du bassin, quand des voix me parviennent, assourdies par le feuillage.

« L'animalerie a été cambriolée cette nuit, dit quelqu'un. Tous les animaux ont disparu.

— Et l'argent ?

— Les voleurs n'y ont pas touché. Ils se sont contentés de fracturer les cages et d'enlever les bêtes. La police enquête, mais sans espoir : ils doivent être loin, à l'heure qu'il est. »

Discrètement, j'écarte les branches basses pour voir qui a parlé. Je n'aperçois que deux paires de bottes gigantesques, voisinant avec la lame coupante d'une bêche et les dents d'un râteau.

« Il faut être malade pour voler des animaux, reprend l'un des deux hommes. Quand on pense à ceux qui sont abandonnés en période de vacances, et qu'il suffit de recueillir...

— Assez bavardé, rétorque l'autre, il est temps de se mettre au boulot. Nous avons une grosse commande : cinquante arbres à livrer pour une exposition. La moitié de la serre va y passer !

— O.K. ! patron, on y va ! »

La suite ressemble à un cauchemar. Avant que j'aie le temps de réagir, la bêche se plante à quelques centimètres de moi. L'immense lame me frôle, pénètre profondément dans le sol, et déterre le buisson derrière lequel j'étais tapie.

Sauve qui peut !

La peur me donne des ailes. Jamais je n'ai couru si vite. Les broussailles me griffent au passage, les lianes me fouettent, les plantes rampantes s'enroulent autour de mes chevilles, mais je ne sens même pas les égratignures.

Hors d'haleine, je parviens enfin au terrier.

Les chiens m'accueillent d'un regard penaud. Ces deux-là n'ont toujours pas le moral, ça se voit à l'œil nu ! Le petit renard, par contre, rayonne.

Mais, pour l'instant, j'ai d'autres préoccupations que leurs états d'âme ! C'est de notre survie qu'il s'agit !

Incapable d'articuler un son, je montre d'un doigt tremblant la direction d'où je viens.

« Là... Là... »

Un fracas assourdissant me coupe la parole. Pour la seconde fois, la bêche vient de s'abattre. Tout un pan du rideau de verdure qui nous protégeait disparaît.

Plus besoin d'explications. Avec un couinement d'épouvante, les animaux détalent, m'oubliant dans leur affolement. Me voici toute seule face au cataclysme.

Autour de moi, la forêt s'effondre. Inexorablement, l'outil poursuit son avancée. À nouveau, je prends mes jambes à mon cou.

Mais la bêche est plus rapide que moi...

À la télé, j'ai vu un documentaire sur la destruction de la jungle amazonienne. Rien que d'y penser, j'en ai froid dans le dos. Les bulldozers et les pelleteuses emportaient tout sur leur passage, rasant la végétation, décimant les bêtes, repoussant les Indiens dans les profondeurs vertes, plus loin, toujours plus loin.

C'est très exactement ce qui est en train de m'arriver.

Cette fois, c'est la fin. Je suis à bout de souffle, un point de côté me scie le ventre. Je tombe à genoux, protégeant ma tête avec mes bras. La lame, dressée vers le soleil, jette un éclair mortel. Dans une fraction de seconde, elle va retomber en sifflant et me couper en deux comme un vulgaire ver de terre.

Maman, papa, Rémi, Hot-dog, adieu...

Chapitre 8

Une Anglaise excentrique

Tout s'est passé si vite qu'il me faut un bon moment pour comprendre.

« Je... Je... Qu'est-il arrivé ? »

Quelque chose m'a brusquement saisie et emportée dans les airs. Quelque chose de très doux, qui sent la violette. Une main de femme.

« Vous l'avez échappé belle ! »

tonne une voix au fort accent anglais.

Les doigts se desserrent et je me retrouve assise sur une paume aussi grande qu'une plate-forme d'hydravion, suspendue entre ciel et terre. En face de moi, deux yeux démesurés, à l'expression tout à fait sympathique, me contemplent.

« Qui... Qui êtes-vous ? »

La bouche esquisse un large sourire.

« Je ne vous entends pas, *little beauty*... Attendez, je vais vous approcher de mon oreille. »

La plate-forme monte d'un cran, et je me retrouve devant un nuage de cheveux gris. Je hurle de toutes mes forces :

« Et maintenant, vous m'entendez ?

— Ouille, moins fort, *dear,* vous avez failli me crever le tympan ! »

Un ton plus bas, je répète ma question :

« Qui êtes-vous ?

— Juste une cliente : je venais acheter une plante verte. Et vous ? Vous êtes la fée Clochette, n'est-ce pas ?

— La... quoi ?

— La fée Clochette, je vous ai parfaitement reconnue ! Il y a plus d'un demi-siècle que je vous attends... J'étais sur le point de désespérer ! »

Moi, la fée Clochette... On ne m'a jamais rien dit de plus ahurissant. Il faut tout de suite que je rectifie !

« Ben non, je m'appelle Zoé... Et je ne suis pas une fée, mais une petite fille ordinaire. »

Un rire cataclysmique la secoue.

« Une petite fille ordinaire, ah, ah, ah, ah ! Ne vous moquez pas de moi, *darling* ! Les petites filles ordinaires ne mesurent pas trois centimètres de haut, ne s'habillent pas avec des feuilles et ne vivent pas dans les serres, au milieu des mouches et des libellules ! »

Inutile de discuter, mon hôtesse a l'air plus têtue qu'une mule.

« J'avais neuf ans quand j'ai lu *Peter Pan*, poursuit-elle. J'en ai presque soixante et un, et j'ai toujours su qu'un jour, je m'envolerais pour le Pays Imaginaire. Ma patience est enfin récompensée... »

Son rire tonitruant emplit à nouveau l'atmosphère.

« Vous savez, j'ai l'air d'une vieille demoiselle, mais j'ai gardé toute mon innocence. D'ailleurs, j'écris des contes pour les enfants. Ce n'est pas une preuve, ça ?

— Une preuve de quoi ?

— Que je suis encore capable de croire au merveilleux ! »

Je réfléchis un instant. Cette rencontre est providentielle ! La conteuse va peut-être tous nous sortir de ce mauvais pas...

« Euh !... Madame...

— Smiss... Miss Smiss.

— Miss Smiss, aimez-vous les animaux ?

— Je les adore !

— Alors, il faut absolument que vous nous aidiez ! »

D'où je suis, je vois la catastrophe dans son ensemble. C'est encore pire que ce que j'imaginais. La serre si accueillante s'est transformée en un désert chaotique. Une fin du monde modèle réduit.

Arbres, arbustes et buissons, déracinés par les jardiniers, ont été stockés en un tas informe, attendant d'être chargés dans des camions. Et la bêche continue ses ravages, secondée par le râteau dont les dents griffent la terre, n'y laissant aucune trace de vie...

« Vous aider ? Bien volontiers, *little* fée ! Que faut-il que je fasse ?

— Il y a un renard et deux chiens qui se cachent dans ces décombres. Sauvez-les, je vous en prie ! Faites-les sortir d'ici ! »

Miss Smiss semble ravie de l'aventure.

« *How*, s'il s'agit de défendre des bestioles en péril, je suis votre homme ! s'écrie-t-elle avec tant d'enthousiasme que, déstabilisée, je manque de dégringoler. Où se trouvent exactement vos amis, chère Clochette ? »

Durant quelques instants, je me concentre. Vais-je arriver à rétablir le contact télépathique avec eux, malgré la distance qui nous sépare ?

Oui ! Je les entends nettement claquer des dents !

Ils se sont réfugiés dans la

faible portion de forêt épargnée ; une portion si réduite que, si elle suffit aux petits rongeurs et aux oiseaux, les gros mammifères, eux, n'ont aucune chance d'y survivre.

« Ils sont là, sous ce sapin bleu... », dis-je à Miss Smiss.

Relevant sa jupe écossaise en gros lainage plissé, la conteuse s'est mise à genoux et pénètre à quatre pattes dans le précaire refuge. Six paires d'yeux farouches la regardent approcher avec méfiance.

« Tout doux, mes petits... Tout doux ! » murmure-t-elle, pour tenter de les apprivoiser.

Mais, malgré ces précautions, le caniche gronde, le mini-bouledogue gémit, et le petit renard tremble.

Je m'empresse de les rassurer.

« Ne vous en faites pas, les

copains, c'est une amie : elle écrit des contes pour enfants. Vous allez voir, elle va tout arranger ! »

Miss Smiss n'a pas menti, elle adore les animaux.

« Oh, les adorables petits amours ! Comme ils sont mignons ! » roucoule-t-elle.

C'est le genre de langage dont les

chiens raffolent. Conquis, mes amis la couvrent aussitôt de coups de langue.

« Que vous est-il arrivé, mes trésors ? »

Bien entendu, c'est moi qui réponds : Miss Smiss ne possède pas le don de télépathie !

« Ils se sont échappés des cages de l'animalerie et cherchent un maître pour les aimer. Mais d'abord, il faut qu'ils quittent le centre commercial sans se faire reprendre...

— Et le *little* renard ?

— Il veut retrouver sa forêt... »

Miss Smiss fronce les sourcils, réfléchit un instant, puis annonce dans un sourire :

« Vous avez de la chance d'être tombés sur moi : les conteuses ne sont jamais à court d'idées ! »

J'observe avec curiosité chacun

de ses gestes. Nom d'une sauterelle en chapeau melon, comment compte-t-elle s'y prendre ?

Elle dénoue la ceinture de sa jupe pour la passer au cou du caniche.

« Et d'un ! » annonce-t-elle.

Avec son écharpe de soie, elle attache, de la même façon, le mini-bouledogue.

« Et de deux !

— Mais... Que faites-vous ? dis-je, éberluée.

— Je déguise ces fugitifs en tou-tous domestiques, *my dear !* »

Puis, s'adressant au petit renard :

« À toi, *honey !* »

Elle le soulève et le pose sur ses épaules.

« Surtout, ne bouge pas ! lui recommande-t-elle. Tu es censé être une étole en fourrure ! »

C'est vraiment chouette, une fourrure vivante ! Bien plus chaud et plus joli qu'un animal mort, quand même !

« Nous pouvons y aller, je suis fin prête ! annonce Miss Smiss en se relevant. *Go, my friends ?* »

Les animaux inclinent la tête, et je réponds à leur place :

« *Go !* »

Quelques instants plus tard, l'équipage traverse tranquillement le centre commercial.

Tout se passe sans encombre. Qui donc soupçonnerait cette élégante Anglaise aux cheveux gris, portant fourrure et promenant ses petits chiens en laisse, de faire évader des fuyards ? Et surtout, qui se douterait qu'elle promène ce qu'elle croit être une fée blottie dans son cou ?

Chapitre 9

Pauvre Hot-dog !

« Prendrez-vous du cake au gingembre avec votre thé, *my dear* ? »

Plutôt deux fois qu'une ! Les émotions, ça creuse. J'ai l'estomac dans les talons, d'autant que, depuis vingt-quatre heures, je n'ai mangé que du Chamallow et des myrtilles !

Miss Smiss nous a tous ramenés dans son *home*, une vraie maison de poupée pleine de bibelots, de napperons en dentelle et de paravents chinois. Les deux chiots se sont mis illico à leur aise. Le caniche a pris possession du sofa, le mini-bouledogue d'un gros pouf de satin à volants. Pour les déloger de là, ce ne sera pas de la tarte ! Sûr, ils se sentent bien mieux dans ce salon douillet que dans la serre !

Ce n'est pas le cas du petit renard, qui s'est terré sous un fauteuil et continue à trembler de tous ses membres.

« Bon appétit, *my dear* ! »

Du dé à coudre où miss Smiss m'a servi mon thé, monte une délicieuse odeur de bergamote.

« Hmmmm ! Ça sent bon !

— C'est du Earl Grey ! » précise mon hôtesse, en portant la tasse fumante à ses lèvres.

Elle avale une gorgée avec un petit bruit mouillé, mordille dans un bout de cake, puis décrète :

« Maintenant que nous sommes au calme, *little* fée, racontez-moi tout depuis le début... »

Je lui narre mes mésaventures dans le détail. Elle m'écoute attentivement.

« Je suis un peu déçue que vous ne soyez pas Clochette, dit-elle, une fois le récit terminé. Mais c'est quand même une *lovely* histoire ! Me permettez-vous de m'en inspirer pour mon prochain livre ? »

J'accepte évidemment. Être une héroïne de conte, ça ne me déplaît pas !

« Et maintenant, que comptez-vous faire de ces chouchous ? » s'enquiert Miss Smiss, en couvant d'un œil attendri les chiots lovés dans ses coussins.

Je capte la réponse des intéressés et la lui transmets aussitôt :

« Ben... Si vous étiez d'accord, ils aimeraient rester ici...

— Je n'osais l'espérer ! Vous voulez bien de moi pour maîtresse, mes mignons ? »

Avec des jappements de joie, le caniche et le mini-bouledogue se jettent dans ses bras.

« Je vous appellerai... voyons...

Toi Peter Pan... », annonce-t-elle au mini-bouledogue.

Puis s'adressant au caniche :

« Et toi... Wendy, car je crois bien que tu es une *girl* ! Cela vous convient-il, mes trésors ? »

Si ça leur convient ? À les voir faire la fête à leur nouvelle maîtresse, personne n'en doute !

« Et vous, *dear* ? me demande Miss Smiss, une fois les effusions terminées.

— Je vais rentrer chez moi.

— Avec le renard ? »

Dans ma tête, une petite voix suppliante gémit : « Ne m'abandonne pas, Zoé ! »

Je n'en avais pas l'intention !

« Oui... Je trouverai bien un moyen de le ramener dans sa forêt natale !

— Alors, si j'ai un conseil à vous donner, attendez la nuit : vous passerez inaperçus. Un renard en ville, ce n'est pas très courant... Mais l'obscurité aidant, tout le monde le prendra pour un chien. »

Il n'est pas loin de minuit lorsque, le renardeau et moi, quittons Miss Smiss, Peter Pan et Wendy. Les adieux sont bouleversants.

« Je n'oublierai jamais que je te dois mon bonheur, Zoé ! dit le caniche, les yeux pleins de larmes.

— Nous avons trouvé la meilleure des maîtresses, grâce à toi ! renchérit le mini-bouledogue.

— J'étais bien seule avant de te rencontrer, petite fée, sourit Miss Smiss. Tu n'es peut-être pas Clochette, mais tu as quand même accompli un prodige. Tu m'as permis de rencontrer MON Peter Pan et MA Wendy... Quant au Pays Imaginaire, je sais, maintenant, qu'il est partout autour de nous, même dans les centres commerciaux. Il suffit d'ouvrir les yeux pour le découvrir... »

La rue est toute noire. Ici et là, quelques rares réverbères éclairent faiblement les trottoirs. Le petit renard, aux aguets, longe les murs, aussi discret qu'une ombre.

La maison de Miss Smiss n'est pas très loin de la mienne. Bientôt le square est en vue, avec ses arbres, sa statue d'ange, ses parterres, et ses pelouses fraîchement coupées. Puis la rue piétonne... Mon Dieu, que tout cela me paraît gigantesque, aujourd'hui ! Ma nouvelle dimension rend mon quartier aussi vaste qu'une planète !

« C'est ici, chez moi. Au numéro 3 ! »

Docilement, le petit renard s'arrête.

« Comment on rentre ? » demande-t-il.

Ça, c'est un problème auquel je n'avais pas réfléchi !

Perchée sur l'encolure de mon ami, je regarde la porte fermée. Elle est si grande que je n'en vois pas le haut. Une muraille infranchissable. Quant à la sonnette, ce n'est même pas la peine d'y penser : l'atteindre tiendrait du miracle pur et simple !

Et d'ailleurs, même si j'y parvenais et que je réveille mes parents en pleine nuit, quelle tête feraient-ils en trouvant un renard sur le seuil ? Avec ma taille, comment pourrais-je me faire reconnaître d'eux ?...

Un terrible découragement m'envahit. Après toutes ces aventures, être devant chez soi et ne pas pouvoir entrer, je trouve ça affreux !

C'est très exactement à cet instant qu'un aboiement éclate à l'intérieur. Mon cœur fait un bond dans ma poitrine.

« Hot-dog ! »

Mon chien a senti ma présence et me le fait savoir.

Hot-dog, mon teckel adoré, tu m'as reconnue ! J'en pleurerais de soulagement !

Au fait... est-ce que la communication télépathique marche avec lui aussi ?

Mentalement, je l'appelle.

« Zoé..., répond-il aussitôt. J'étais fou d'inquiétude. Qu'est-ce que tu fais dehors à une heure pareille ?

— Ouvre-moi, je t'expliquerai après !

— T'ouvrir ? Comment veux-tu que je fasse, je n'ai pas de mains !

— Débrouille-toi ! Tu es la seule personne sur qui je peux compter ! »

Un long moment passe. De l'autre côté de la porte, j'entends le raffut que fait Hot-dog pour essayer d'atteindre la poignée. Mais il a beau gratter, couiner, sauter, il n'y arrive pas !

« Qu'est-ce qu'il fiche ? » s'impatiente le petit renard.

Hot-dog l'a entendu.

« Qui c'est celui-là ? grogne-t-il, tout essoufflé par ses efforts.

— Un copain.

— Il ne me plaît pas, il sent très mauvais ! »

Je sursaute, indignée : j'ai horreur qu'on critique mes amis !

« Mauvais ? Qu'est-ce que tu racontes ? Il ne sent pas mauvais, il a juste une odeur de bête sauvage ! »

Mon ton a été un peu vif. J'ai sûrement vexé Hot-dog.

Du coup, je me radoucis.

« Tu boudes, mon chien ? »

Pas de réponse.

« Hot-dog ? Hot-dooooog ? »

Où est-il donc passé ? Je ne l'entends plus... Nous aurait-il abandonnés à notre sort ? Non, impossible...

« C'est ça, ton fidèle compagnon ? » ironise amèrement le renardeau.

Je suis si déçue que les larmes me montent aux yeux. Mais un choc sourd suivi d'un fracas de verre brisé m'arrache à mes sombres réflexions.

La vitre du soupirail vient de voler en éclats.

« Eh oui, c'est ça, mon fidèle compagnon ! dis-je avec fierté. Qu'est-ce que tu crois ? Hot-dog ne m'aurait jamais laissée tomber ! »

Malgré les éclats coupants qui hérissent le montant de la petite fenêtre, et les barreaux qui la protègent, le renard parvient à s'y faufiler. Mais dans la cave, une surprise nous attend.

En effet, Hot-dog ne nous a pas laissés tomber... mais c'est lui qui est tombé ! Pour casser la vitre, il n'a trouvé qu'une solution : se jeter dessus de toutes ses forces. Résultat : il gît par terre, au milieu des débris de verre, à moitié assommé et couvert de coupures. Son pelage est maculé de taches de sang...

En le voyant, je pousse un cri.

« Oh, mon pauvre chéri ! Tu as mal ? »

Dignement, le teckel se redresse et commence à lécher ses plaies. Il n'accorde pas un regard à la minus que je suis devenue. Ne me reconnaît-il plus ? Ou trouve-t-il qu'une maîtresse aussi réduite n'est pas digne de lui ?

À moins, tout simplement, qu'il ne souffre trop pour réagir.

Sans un mot, il se dirige vers

l'escalier qui mène au rez-de-chaussée et l'emprunte en titubant.

Il y a bien longtemps — à l'époque où nous avions un chat —, mon père avait percé une chatière dans la porte de la cave. Hot-dog s'en sert de temps en temps. C'est par là que nous passons pour atteindre le vestibule.

Il ne nous reste plus qu'à aller nous coucher. Toutes ces émotions m'ont brisée.

« Bonne nuit ! » me jette Hot-dog du bout des babines, en se glissant dans la cuisine.

Celui-là, il est malade de jalousie ou je ne m'appelle plus Zoé !

« Tu ne viens pas dormir avec moi, mon chien d'amour ? »

Mais le chien d'amour ne se donne même pas la peine de répondre. La tête basse, il a réintégré son panier et s'y est couché. Ses pattes ont laissé des traces rouges sur le carrelage.

Dire que je ne peux même pas le prendre dans mes bras, le cajoler et le soigner...

La mort dans l'âme, je montre au petit renard comment gagner ma chambre.

Ma fatigue est telle qu'elle a même raison de ma mauvaise conscience. Quelques instants plus tard, blottis sous ma couette, nous dormons à poings fermés.

Chapitre 10

Rêve ou réalité ?

« J'ai roupillé comme un loir, moi ! »

Assise dans mon lit, je m'étire, je bâille. Un soleil radieux pénètre par la fenêtre dont j'ai oublié de fermer les rideaux, hier soir.

Tiens ? Bizarre, j'ai dormi toute nue... Qu'est-ce que j'ai bien pu faire de mon pyjama ?

Je me creuse la cervelle pour

essayer de m'en souvenir, mais seul un drôle de rêve me revient en mémoire. Une folle histoire d'ogres, d'animaux prisonniers et de vieille Anglaise excentrique... Avec un haussement d'épaules, je saute sur mes pieds et je cherche des yeux mon jean et mon tee-shirt.

Nom d'une coccinelle à rayures, où les ai-je rangés ? D'habitude, mes habits de la veille sont toujours posés sur ma chaise...

Bah ! je verrai ça plus tard. De toute façon, ils étaient sales... Et d'ailleurs, le beau temps me donne envie de changer de tenue. Si je mettais ma petite robe à fleurs ?

Toute pimpante, j'esquisse un pas de danse devant le miroir, je me souris et je m'envoie un bisou. J'ai l'air... d'une petite fée !

Une petite fée... Je pouffe de rire. Où ai-je été chercher cette idée saugrenue ?

Machinalement, je jette un coup d'œil sur mon réveil. Quoi, déjà dix heures ? Je vais être en retard à l'école...

Mais non, voyons, où ai-je la tête ? nous sommes dimanche ! C'est congé, et en plus il fait beau. Une chouette journée en perspective ! Si j'allais jouer dans le square ?

Et ce gros paresseux de Hot-dog qui dort toujours ! Je l'entends ronfler jusqu'ici. Un petit morceau de sa patte arrière dépasse de la couette.

« Allons, debout, feignant ! »

D'un geste sec, je le découvre... et je reste figée de stupeur. Ce n'est pas Hot-dog qui est couché dans mon lit, c'est un renardeau.

Près de lui traînent quelques feuilles froissées et des pétales de rose.

Mais alors... je n'ai pas rêvé ?

L'animalerie, la fuite, la serre... c'était donc vrai ? Tout ça s'est vraiment passé ?

J'ai réellement mesuré trois centimètres de haut ? Difficile à croire, car là, j'ai retrouvé ma taille normale. Ma robe est même un peu trop courte, car j'ai grandi depuis l'année dernière !

Abasourdie, je tente de rassembler mes idées.

Réfléchissons... Comment suis-je arrivée ici, après avoir quitté Miss Smiss ? Qui m'a ouv... Nom d'une cacahuète en ski !

« Hot-dog ! »

Le souvenir de mon chien ensanglanté vient brusquement de m'assaillir. C'est comme si j'avais reçu une claque. D'un bond, je dégringole l'escalier et me rue dans la cuisine.

Maman s'y trouve déjà. Accroupie à côté du panier, elle examine Hot-dog d'un air perplexe.

« Je ne sais pas ce que ce polisson a fabriqué cette nuit, dit-elle en levant la tête vers moi, mais je crois bien qu'il s'est blessé ! »

Sans hésiter, je me jette à genoux près de mon chien, je l'attrape dans mes bras, et je le serre de toutes mes forces.

« Zoé ! Tu vas salir ta belle robe ! » proteste maman.

Je m'en fiche bien ! La seule chose qui compte, c'est que je me réconcilie avec mon teckel chéri. Un remords affreux me tenaille : il a risqué sa vie pour me sauver, et moi, je l'ai lâchement abandonné, alors qu'il souffrait... Je suis vraiment la dernière des dernières !

Un sanglot me soulève.

« Hot-dog, mon chien adoré, pardonne-moi ! »

Durant un petit moment, Hot-

dog continue à bouder. Il fait celui qui n'est pas là et se laisse embrasser en regardant ailleurs.

« Hot-dog, réponds-moi, je t'en prie... »

Un p'tit chien ne résiste pas longtemps aux supplications de sa maîtresse. Après m'avoir ignorée aussi longtemps qu'il le pouvait, Hot-dog finit par céder. Un grand coup de langue me le confirme.

« Oh, je t'aime, mon chien, je t'aime !

— Moi aussi, je t'aime, Zoé... Mais pourquoi m'as-tu trahi ?

— Je ne t'ai pas trahi, j'ai juste délivré un renardeau prisonnier.

— Tu comptes le garder ?

— Bien sûr que non : je vais le ramener dans la forêt ! »

Hot-dog pousse un soupir de soulagement.

« Ah bon ! j'aime mieux ça... L'un

de nous deux était de trop dans cette maison ! »

Et ses yeux se remplissent d'amour.

Papa, qui vient de sortir de la salle de bains, a assisté bouche bée à nos retrouvailles. Mais il n'a eu que l'image, bien entendu, pas le son, puisque la conversation était télépathique. Résultat : il ne comprend pas pourquoi je me mets dans cet état.

« Calme-toi, ma chérie ! m'exhorte-t-il doucement. Ce n'est pas la peine de pleurer : ton chien n'est pas en danger de mort, quand même !

— Tout ça pour quelques malheureux bobos..., renchérit maman. On n'a pas idée d'être aussi sensible ! »

Un petit sourire indulgent lui répond.

« Que veux-tu, elle l'adore, son teckel ! Et puis, ne nous plaignons pas : ça prouve qu'elle a bon cœur ! »

Tout ça, c'est bien joli, mais il y a quand même quelque chose qui ne colle pas. Assise devant mon bol de cacao, je fais un rapide calcul mental :

« Samedi, nous sommes allées au supermarché. Après, j'ai dormi dans la serre. Le lendemain était donc un dimanche. Or, le dimanche, personne ne travaille. Pourtant, les jardiniers sont venus déterrer les arbres. Et puis, je rentre ici, je me couche, et ce matin, on est encore dimanche... »

Quand je disais que ça ne collait pas !

Pour m'aider à réfléchir, j'avale une grosse gorgée de chocolat qui me dessine des moustaches marron.

« Tout est complètement embrouillé ! Ce que je suis en train de vivre, est-ce un rêve ou la réalité ? Impossible de le savoir... »

J'en ai des sueurs froides. Rêve ou réalité ? Je me pince, mais ça ne prouve rien : dans certains cauchemars, quand on se pince, on ne s'éveille pas, on se fait juste mal !

Rêve ou réalité ? Ce genre d'incertitude, je ne connais rien de pire !

Le bruit d'une charge d'éléphant fait soudain trembler la maison. Voilà mon frère qui se lève !

La tête de Rémi au réveil, c'est un chef-d'œuvre d'humour. Des traits bouffis, une expression de zombie, une tignasse en bataille... On dirait un personnage de dessin animé ! Du coup, mes angoisses s'envolent dans un éclat de rire.

Rémi n'apprécie pas l'accueil.

« Quand tu auras fini de te moquer de moi, tu me préviendras... », ronchonne-t-il, en se laissant tomber de tout son poids sur une chaise.

Il y a des jours où tout va mal. Dans un craquement sinistre, le malheureux siège s'effondre, et Rémi se retrouve sur le carrelage, les quatre fers en l'air. À mon avis, ça ne risque pas d'arranger son humeur !

Zut alors ! Moi qui comptais sur lui pour me dépanner !

Déployons des trésors de diplomatie, afin de l'amadouer.

Pleine d'une compassion un peu exagérée, je me précipite vers lui, l'aide à se relever et lui verse du café que je sucre abondamment.

« Tiens, bois, c'est bon pour ce que tu as... »

Quelques gorgées plus tard, il

retrouve plus ou moins figure humaine. C'est le moment ou jamais...

Je prends mon ton le plus enjôleur.

« Dis, Rémi... Tu veux être le meilleur grand frère du monde ?

— Qu'est-ce que tu vas encore me demander ? Que je te prête ma casquette ? Que je t'aide à faire ton devoir de maths ? Que je te file vingt balles pour acheter des bonbons ? Laisse-moi deviner...

— Rien de tout ça, juste un petit service... »

Il lève les yeux au ciel.

« Je m'attends au pire...

— Ta mob est en état de marche ?

— Couci-couça.

— Ça veut dire quoi, "couci-couça" ? On peut l'utiliser ou pas ? »

Mon frère gratte ses cheveux avec énergie.

« Tu te souviens que j'avais un pneu à plat ? Comme il ne me reste plus de rustines, j'ai bidouillé une réparation provisoire avec du sparadrap. Je ne sais pas combien de temps ça va tenir, mais pour ce qui est de rouler, elle roule.

— Ouais, génial ! »

Mon enthousiasme lui met immédiatement la puce à l'oreille.

« Pourquoi "génial" ? s'informe-t-il d'un air méfiant.

— Ben... j'aimerais que tu m'emmènes faire une promenade... Euh !... une promenade qui serait en même temps une bonne action... Je vais t'expliquer... »

Chapitre 11

Un éclair roux dans les broussailles

« Soyez prudents, les enfants ! recommande papa. Rémi, ne roule pas trop vite ! Et toi, mon p'tit pot-au-feu, cramponne-toi bien !

— Promis ! »

Devant la maison, la mobylette pétarade, avec quelques curieux ratés de temps en temps.

« Qu'emportes-tu dans ce gros sac à dos, Zoé ? s'étonne maman.

— Un... un pique-nique.

— Ça prend tellement de place ? »

Rémi vole aussitôt à la rescousse.

« Et... un cerf-volant ! s'empresse-t-il d'ajouter.

— Comment comptez-vous le faire voler ? s'étonne papa. Il n'y a pas le moindre souffle d'air ! »

Ce qui est super, avec les grands frères, c'est qu'ils ne sont jamais à court d'arguments.

« À la météo, ils annoncent une tempête ! affirme Rémi.

— Dans ce cas-là, tâchez d'être rentrés avant la pluie », dit maman.

Et Hot-dog d'aboyer de tout son cœur, histoire de donner, lui aussi, son avis.

Un dernier signe aux parents

— pas très rassurés, il faut bien l'avouer ! —, et la mobylette démarre.

La forêt n'est qu'à quelques kilomètres. Pour s'y rendre, il suffit de prendre la nationale et de continuer toujours tout droit. Une petite demi-heure de route.

« Ça va, là derrière ? » demande Rémi de temps en temps.

Et moi, invariablement :

« Ça va ! »

J'adore les balades en deux-roues. La vitesse me grise. Le vent de la course s'engouffre dans ma jupe, me fouette les bras.

Lorsqu'une voiture nous double, ça me fait un peu peur. Alors je serre très fort la taille de mon grand frère, et je ferme les yeux en écoutant le ronronnement rassurant du moteur.

Enfin, quand je dis « rassurant »...

« Teuf, teuf, teuf... pet, pêt !.. teuf, teuf, teuf... pet, pêt !.. » L'engin s'essouffle déjà.

Heureusement, la forêt est en vue. Bientôt, nous quittons la nationale pour emprunter un petit chemin de terre qui s'enfonce sous les arbres. Quelques centaines de mètres plus loin s'ouvre une clairière.

« Nous y voilà ! » annonce Rémi en mettant pied à terre.

Le grand moment est arrivé. L'émotion me noue la gorge. D'une main qui tremble légèrement, je détache les courroies du sac à dos. Un museau pointu apparaît, une longue moustache frémissante, deux petits yeux noirs éperdus... Le renardeau hume un instant l'odeur âcre des bois, puis, tel un éclair roux, jaillit du bagage et file dans les taillis.

C'était si rapide que j'ai à peine eu le temps de le voir. Et il ne m'a même pas dit merci...

Un peu déçue, je scrute les alentours. Où peut-il bien être ? Derrière ce buisson épineux ? Près de cette souche ? Au fond de cette ravine tapissée de lierre ?

J'ai beau écarquiller les paupières, le fugitif demeure invisible. Le paysage complice garde son secret. Dans les profondeurs de sa verdure natale, l'ex-petit prisonnier est enfin à l'abri de la malveillance des hommes...

« Et voilà..., dit Rémi. Mission accomplie. Il ne nous reste plus qu'à rentrer, maintenant. »

Je pousse un soupir mélancolique :

« Il me manquera...

— Bah, tu as Hot-dog ! Les bêtes sauvages ne sont pas faites pour vivre avec les gens, sinon à quoi serviraient les animaux domestiques ? »

Malgré la justesse de l'argument, je me sens triste. C'est que je m'y étais habituée, moi, à ce gentil rouquin !

Comme je m'apprête à remonter sans entrain sur la mobylette, un bruit de baiser résonne dans ma tête.

« Merci, Zoé... Je ne t'oublierai jamais ! Le souvenir d'une petite fée m'accompagnera toujours, où que j'aille. »

Cette fois, c'est le cœur léger que j'enfourche ma selle.

« Teuf, teuf, teuf... pêt, pêt !.. Teuf, teuf, teuf... PAN ! »

La déflagration est terrible. En pleine vitesse, le pneu mal réparé vient d'éclater. Déstabilisée, la mobylette part en zigzag. Agrippé au guidon, mon frère tente désespérément de reprendre le contrôle de sa direction, mais en vain.

« Rémi, attention ! »

Une voiture arrive en face. Le conducteur nous aperçoit trop tard, klaxonne, donne un coup de volant pour nous éviter...

Un hurlement de pneus sur

l'asphalte, un choc épouvantable, l'impression d'être projetée comme une fusée dans l'espace, puis plus rien.

Le noir total.

Chapitre 12

Combien ça coûte, un renard ?

« Où... Où suis-je ? »

C'est la phrase la plus banale qui existe, mais en ouvrant les yeux, je ne trouve que ça à dire.

La pièce où je suis allongée est toute blanche et sent l'éther.

« Zoé revient à elle... », murmure une voix familière.

Quelqu'un se penche sur moi,

pose une main tendre sur mon front. Quelqu'un que j'aime beaucoup, et dont le visage trahit une intense inquiétude.

« M'man...

— Ma chérie, comment te sens-tu ? »

Ça, je ne le sais pas encore. Après un accident pareil, je dois être en petits morceaux et plâtrée de la tête aux pieds !

Avec mille précautions, j'essaie de bouger les bras. Tiens, ça fonctionne ! Les jambes aussi. Et même les pieds et les orteils.

Étonnant, non ? On dirait que je suis intacte.

« Et Rémi ? »

Les yeux de maman s'arrondissent :

« Rémi ? Il est à la maison, je suppose... Pourquoi cette question ?

— Il n'est pas blessé ? »

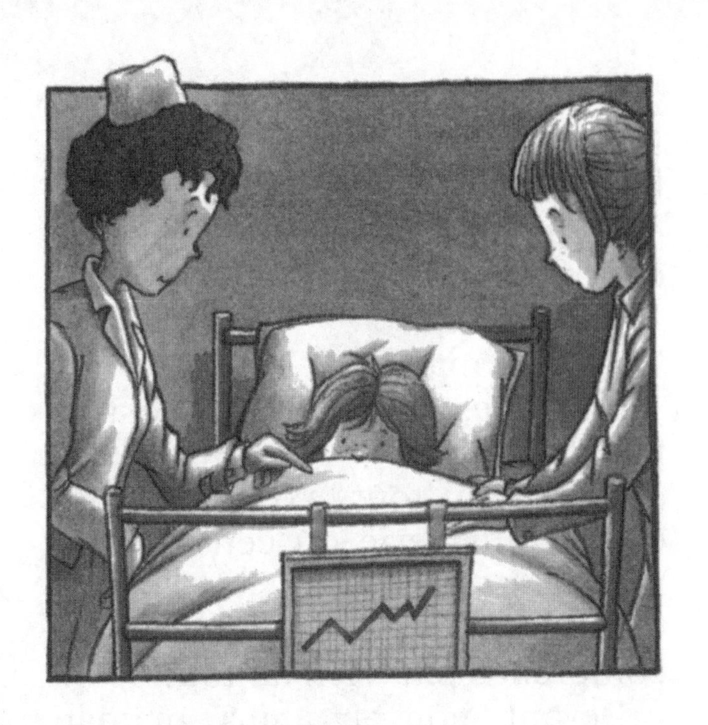

Une infirmière vêtue de blanc va et vient dans la chambre. Maman lui lance un regard inquiet.

« Que se passe-t-il ? Ma fille délire...

— Ne vous inquiétez pas, ça doit être le contrecoup du malaise. »

Malaise ? Quel malaise ? Je n'ai pas eu un accident ?

Du coup, je m'assieds. À part ma tête qui tourne un peu, tout va très bien.

N'empêche, il y a quelque chose qui m'échappe, dans tout ça.

« M'man ?

— Oui, ma chérie ?

— On est à l'hôpital, n'est-ce pas ?

— Pas du tout ! Nous sommes dans l'infirmerie du centre commercial ! »

L'infirmerie du... Alors là, je ne comprends plus rien du tout !

Devant mon air ahuri, maman ne peut s'empêcher de sourire.

« Tu es tombée dans les pommes, tout à l'heure, pendant que j'achetais de la viande.

— Avec la foule et la chaleur, c'est assez courant ! commente l'infirmière.

— Je ne ferai plus jamais les courses le samedi après-midi !

reprend maman avec conviction. Il y a un monde fou, de la bousculade, des heures de queue... et voilà le résultat ! »

Quelques minutes plus tard, après avoir remercié l'infirmière, nous nous retrouvons, ma mère et moi, dans les allées du centre commercial.

« J'ai laissé mes achats aux caisses, dit maman. J'enverrai Rémi les chercher, tout à l'heure. Nous deux, nous allons vite rentrer à la maison, pour que tu te reposes... »

Elle serre très fort ma main.

« ... Tu pourras marcher jusque-là, ma puce ? »

Je hoche la tête avec une mine de circonstance, une mine de pauvre-petite-malade. Maman n'est pas du genre à dorloter, en général. Alors autant en profiter...

Clopin-clopant, nous passons devant l'animalerie.

Là, je m'arrête, le cœur battant.

« Tu es fatiguée, Zoé ? s'inquiète maman. Tu veux t'asseoir ? »

La fatigue n'a rien à voir là-dedans. Je viens d'apercevoir, ratatiné au fond de sa cage, un renardeau tremblant. Ses petits yeux noirs, luisant dans sa fourrure fauve, appellent au secours...

Je fais un gros effort pour répondre :

« Non, m'man, ça ira... »

Mais le son de ma voix exprime exactement le contraire.

Bien entendu, une fois dans ma chambre, je ne pense qu'à ça. Maman m'a obligée à m'allonger, papa m'a préparé un verre de jus d'orange, mon frère m'a prêté ses B.D., et j'ai même eu le droit de prendre Hot-dog dans mon lit. Bref, toute la famille est aux petits soins pour moi.

Le soleil et les chants d'oiseaux entrent par la fenêtre ouverte. Je devrais être comme un coq en pâte... Mais, hélas ! le regard du petit renard captif me glace le cœur.

Ah, si seulement je pouvais le délivrer !...

Mais j'ai beau échafauder les plans les plus fous, il faut bien me rendre à l'évidence : je ne mesure pas trois centimètres de haut, et toute cette histoire d'évasion n'était qu'un rêve...

Hot-dog, qui comprend ma tristesse, promène sa truffe tendre le long de mon visage, pour essayer de me consoler. Je le gratouille distraitement derrière les oreilles, là où il aime.

« Ah ! mon chien, tu vois, toi, tu as de la chance... Tu n'es pas prisonnier de l'animalerie. On ne t'a pas acheté, toi, on t'a adopt... »

Je sursaute, comme si un moustique m'avait piquée. Ce que je viens de dire a fait « tilt » dans ma tête.

Acheter... Acheter le petit renard, voilà la solution !

Déjà, je suis debout. Je fouille fébrilement dans mon placard. Où ai-je fourré cette fichue tirelire, nom d'une groseille à col roulé ? Ah ! ici, derrière ma pile de petites culottes.

Combien y a-t-il de sous dedans ? Je la secoue : dingueling.

Elle est lourde ! Mentalement, j'essaie d'évaluer ma fortune. Alors, nous avons : le Noël de mamie ; les sous de marraine pour mon anniversaire ; ceux que j'ai piqués à Rémi parce qu'il m'avait cassé mon game-boy ; la récompense de papa pour mon dernier bon bulletin ; le reste des commissions que j'ai « oublié » de rendre à maman... Ça doit faire une somme rondelette, tout ça ! La somme que je destinais à l'achat d'un skate-board...

Tant pis pour le skate-board, maintenant j'en ai une bien meilleure utilisation. Combien ça coûte, un renard ?

Le soir tombe. Plus personne ne s'occupe de moi, ils me croient tous endormie. Normal, après mon malaise de tout à l'heure...

Sans faire le moindre bruit, je me lève, j'enfile mon tee-shirt, mon jean, mes baskets, et sur la pointe des pieds, je sors de ma chambre.

Ne pas faire craquer les marches de l'escalier, surtout... Tout en descendant avec précaution, je tends l'oreille. Où sont mes parents ? Et Rémi ?

Rémi, je m'en fiche, ce n'est pas un cafteur. Mais mes parents... Ceux-là, s'ils me surprennent, ça risque de barder ! J'entends déjà maman d'ici : « Quand on est malade, on reste dans son lit ! Tu veux nous faire mourir d'inquiétude ? Après la frayeur que tu m'as faite cet après-midi ! » Et papa : « N'as-tu pas honte, une grande fille comme toi, de donner autant de souci à ta mère ? »

Oh, là, là, quel cirque ! Il faut éviter ça à tout prix !

Bon, ne nous affolons pas ! L'essentiel est de bien repérer les positions de l'ennemi.

Je me penche au-dessus de la rampe et je tends l'oreille.

Chouette ! Papa et maman regardent la télé dans le salon. Le film a l'air passionnant, et en plus, il vient de commencer. Ça me laisse un bon moment devant moi.

Tout ce que j'espère, c'est que l'animalerie est encore ouverte à cette heure-ci...

Re-chouette ! Les magasins du

centre commercial ferment plus tard, le samedi : ils font « nocturne ».

La chance est avec moi !

À pas de loup, je traverse le corridor, direction : la porte d'entrée. Encore quelques mètres, et j'y suis...

En retenant mon souffle, je tourne très lentement la poignée. Les gonds, bien huilés, ne grincent pas.

Ouf ! me voici dehors !

Le crépuscule m'enveloppe de son voile bleu. Dans le ciel, quelques étoiles commencent à apparaître. Je n'ai pas intérêt à traîner en route !

Dix minutes plus tard, je pénètre en courant dans le centre commercial.

Tout le contenu de ma tirelire y est passé. Il n'y avait pas tout à fait assez d'argent, mais la vendeuse m'a fait un prix. Finalement, elle est un peu moins nulle que je ne le pensais.

Quand elle a ouvert la cage, le renardeau s'est laissé prendre sans résister. Il s'est même assoupi dans mes bras...

Je suis rentrée aussi silencieusement que j'étais sortie. Papa et maman étaient toujours devant leur film.

Maintenant, le renardeau est caché dans mon lit, roulé en boule contre Hot-dog. Brave Hot-dog ! Il n'a même pas protesté, quand j'ai ramené l'intrus. Et moi qui le croyais jaloux...

Je m'apprête à les rejoindre dans la douillette chaleur de la couette lorsqu'une pétarade éclate dans la rue.

« Teuf, teuf, teuf... pêt ! Teuf, teuf, teuf..., pêt !... »

Je me précipite à la fenêtre.

« Rémi ! Réééémi ! »

À cheval sur son engin, mon frère lève la tête.

« Salut, la moribonde ! Ça va mieux ?

— Impec. Ta mobylette est réparée ?

— Ouais, j'ai acheté des rustines. Mon pneu est comme neuf ! »

Je prends mon air enjôleur-auquel-on-ne-résiste-pas.

« Tu veux être le plus gentil grand frère du monde ?

— Oh, toi, je te vois venir !... Que vas-tu encore me demander ? De te prêter ma casquette ? De t'aider à faire tes devoirs ? De te filer vingt balles pour t'acheter des bonbons ? »

J'éclate de rire :

« Rien de tout ça, rassure-toi. Juste un petit service... et une bonne action. Monte dans ma chambre, je vais t'expliquer... »

Dans l'ombre de la couette, deux petits yeux noirs inquiets ne perdent pas un seul de mes gestes. Je leur souris triomphalement :

« C'est gagné, mon pote ! Demain, tu seras libre ! »

Table

Dans la même collection…

Mademoiselle Wiz,
une sorcière particulière.

Mini, une petite fille
pleine de vie !

Fantômette,
l'intrépide
justicière.

Avec le Club des Cinq,
l'aventure est toujours
au rendez-vous.

Kiatovski,
le détective en baskets
qui résout
toutes les enquêtes.

Dagobert,
le petit roi
qui fait tout à l'envers.

Rosy et Georges-Albert,
le duo de choc
de l'Hôtel Bordemer.

Avec Zoé,
le cauchemar devient
parfois réalité.